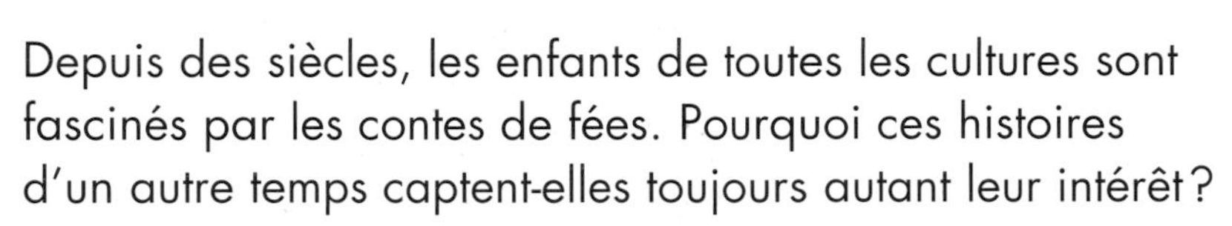

Depuis des siècles, les enfants de toutes les cultures sont fascinés par les contes de fées. Pourquoi ces histoires d'un autre temps captent-elles toujours autant leur intérêt ?

Notons d'abord que c'est moins la présence de fées qui importe dans ces histoires que le fait que l'action se déroule dans un monde qui est très éloigné du quotidien de l'enfant. Le « Il était une fois... » qui ouvre le conte lui permet de se projeter dans l'histoire sans se sentir menacé.

Le conte de fées met en scène des conflits qui concernent l'enfant et aborde des questions qu'il se pose. Il évoque des réalités troublantes mais incontournables, comme l'ambivalence des sentiments, la rivalité, la sexualité, la mort, la crainte de l'avenir... Sa fin, généralement heureuse, propose une solution sans verser dans le moralisme comme les fables.

L'aspect le plus important du conte, c'est sa dimension magique. Le personnage principal du conte de fées est la magie du langage. L'enfant y rencontre la puissance créatrice des mots. Avec les mots, l'enfant joue, explore le monde et parvient à apaiser des tensions qui le troublent. Grâce à la magie du langage, une bête répugnante peut se transformer en beau jeune homme, un adulte peut séjourner durant des siècles dans un vase, trois petits cochons peuvent représenter trois sentiments qui animent un enfant... Ces pirouettes du langage ne servent pas qu'à rendre le conte attrayant, elles indiquent à l'enfant que les mots ont le pouvoir d'évoquer ce qu'il conçoit parfois difficilement. Il n'est pas facile pour le jeune enfant d'imaginer par exemple qu'il puisse haïr une personne qu'il aime. Cette réalité peut cependant devenir plus accessible pour lui lorsqu'une grand-mère aimante se transforme en loup capable de dévorer une petite fille.

Les aventures irréelles des contes de fées illustrent des vérités bien réelles que peut vivre l'enfant. Elles lui offrent un moyen d'affronter ces réalités en mettant son imagination à contribution. Voilà pourquoi les contes demeurent toujours aussi actuels.

Martin Pigeon, psychanalyste

Caillou[MD]

Le Petit Chaperon rouge

Conte traditionnel
Illustrations : Pierre Brignaud • Coloration : Marcel Depratto

chouette

–C'est l'heure du dodo, Caillou et Mousseline. Allez mettre vos pyjamas et brosser vos dents. Ensuite, je vous raconterai une histoire, dit papa.
Caillou et Mousseline ne perdent pas une minute. Ils adorent quand papa s'assoit avec eux pour leur lire une histoire.

«Il était une fois une adorable petite fille que tout le monde aimait rien qu'à la voir, et plus que tous, sa grand-mère, qui ne savait que faire ni que donner comme cadeaux à l'enfant.
Une fois, elle lui donna un petit chaperon de velours rouge et la fillette le trouva si joli, il lui allait si bien, qu'elle ne voulut plus porter autre chose et qu'on ne l'appela plus que le Petit Chaperon rouge.

Un jour, sa mère lui dit :
–Tiens, Petit Chaperon rouge, voici une galette et un petit pot de beurre : tu iras les porter à ta grand-mère; elle est malade et affaiblie, et elle va bien se régaler. Fais vite, avant qu'il fasse trop chaud. Et sois bien sage en chemin. Et puis, dis bien bonjour en entrant et ne regarde pas d'abord dans tous les coins.
–Je serai sage et je ferai tout pour le mieux, promit le Petit Chaperon rouge à sa mère, avant de lui dire au revoir et de partir.

Mais la grand-mère habitait à une bonne demi-heure du village, tout là-bas, dans la forêt; et lorsque le Petit Chaperon rouge entra dans la forêt, ce fut pour rencontrer le loup. Mais elle ne savait pas que c'était une si méchante bête et elle n'avait pas peur.

–Bonjour, Petit Chaperon rouge, dit le loup.
–Merci à toi, et bonjour aussi, loup.
–Où vas-tu de si bonne heure, Petit Chaperon rouge?
–Chez grand-mère.
–Que portes-tu, dis-moi?
–De la galette et un petit pot de beurre, dit le Petit Chaperon rouge; nous l'avons cuite hier et je vais en porter à grand-mère, parce qu'elle est malade et que cela lui fera du bien.

–Où habite-t-elle, ta grand-mère, Petit Chaperon rouge? demanda le loup.
–Plus loin dans la forêt, à un quart d'heure d'ici; c'est sous les trois grands chênes, et juste en dessous, il y a des noisetiers, tu reconnaîtras forcément, dit le Petit Chaperon rouge.

Fort de ce renseignement, le loup pensa : " Un fameux régal, cette mignonne et tendre jeunesse ! Grasse chère, que j'en ferai : meilleure encore que la grand-mère, que je vais engloutir aussi. Mais attention, il faut être malin si tu veux les déguster l'une et l'autre. "

Telles étaient les pensées du loup tandis qu'il faisait un bout de conduite au Petit Chaperon rouge. Puis il dit, tout en marchant :
–Toutes ces jolies fleurs dans le sous-bois, comment se fait-il que tu ne les regardes même pas, Petit Chaperon rouge ? Et les oiseaux, on dirait que tu ne les entends pas chanter ! Tu marches droit devant toi comme si tu allais à l'école, alors que la forêt est si jolie !

Le Petit Chaperon rouge donna un coup d'œil alentour et vit danser les rayons du soleil à travers les arbres, et puis partout, partout des fleurs qui brillaient. " Si j'en faisais un bouquet pour grand-mère, se dit-elle, cela lui ferait plaisir aussi. Il est tôt et j'ai bien le temps d'en cueillir. "
Sans attendre, elle quitta le chemin pour entrer dans le sous-bois et cueillir des fleurs : une ici, l'autre là, mais la plus belle était toujours un peu plus loin, et encore plus loin à l'intérieur de la forêt.

Le loup, pendant ce temps, courait tout droit à la maison de la grand-mère et frappait à sa porte :
–Qui est là ? cria la grand-mère.
–C'est moi, le Petit Chaperon rouge, dit le loup. Je t'apporte de la galette et un petit pot de beurre, ouvre-moi !

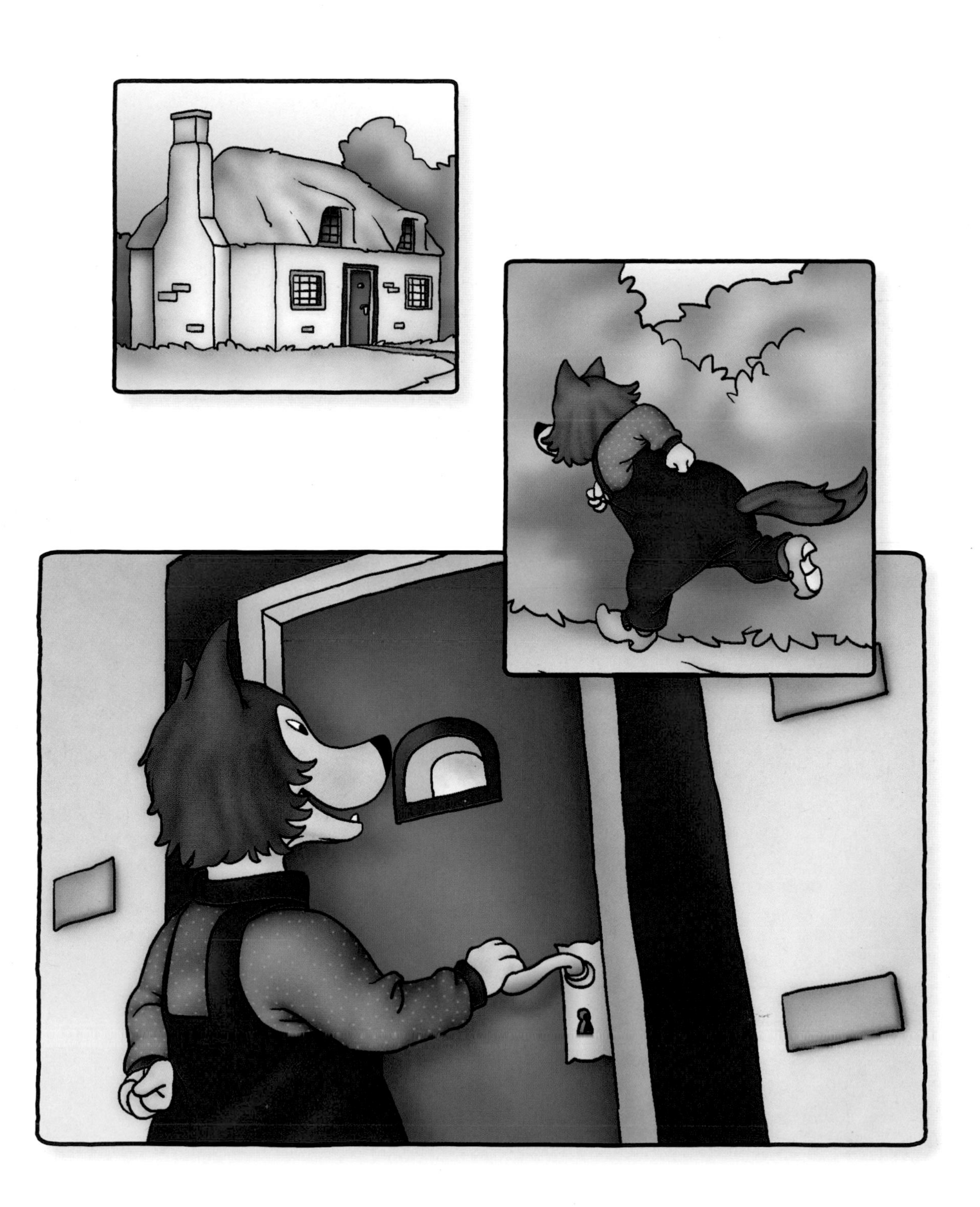

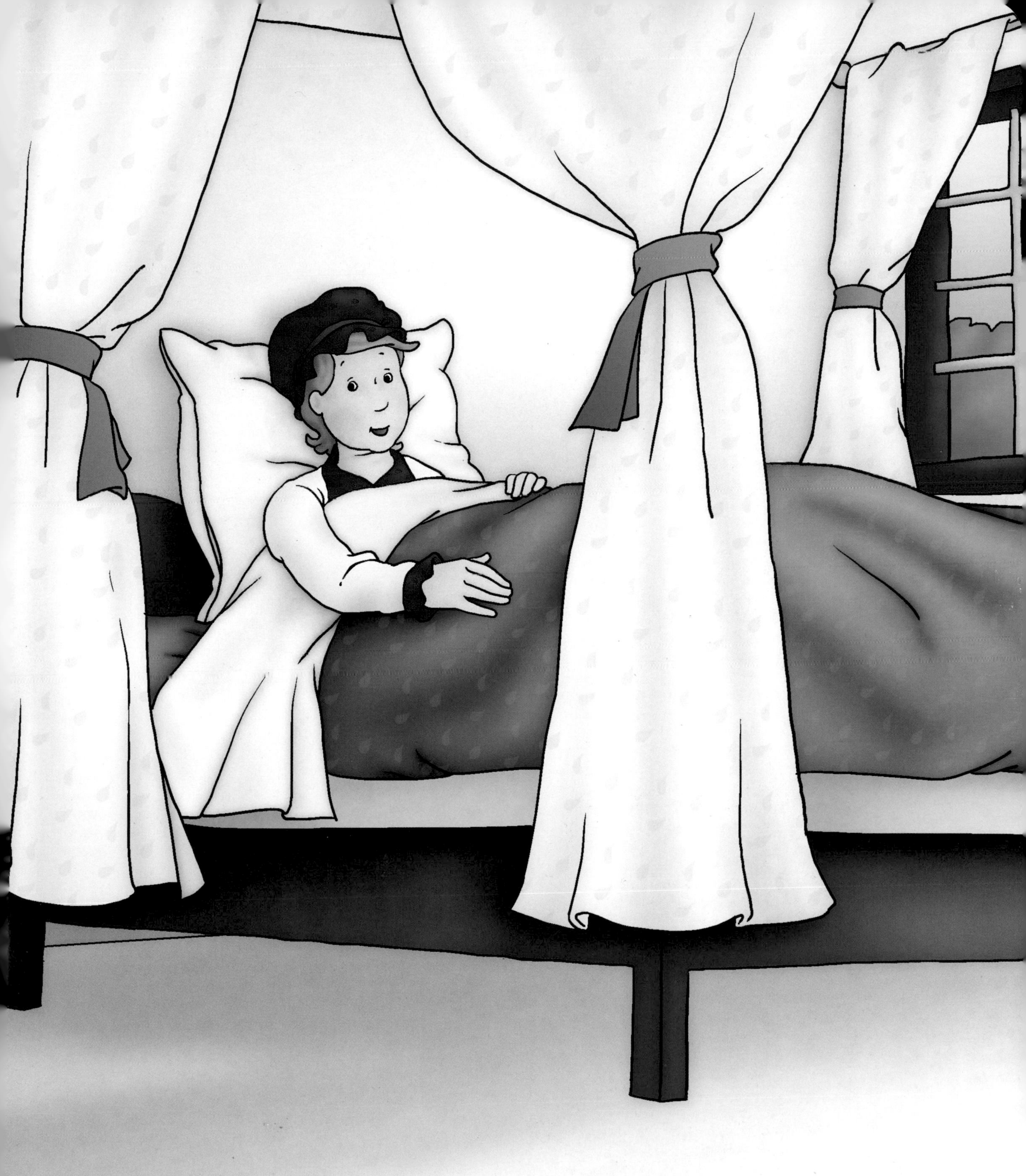

–Tire la chevillette, la bobinette cherra, cria la grand-mère. Je suis trop faible et ne peux me lever.

Le loup tira la chevillette, poussa la porte et entra. Sans dire un mot, il s'avança jusqu'au lit où reposait la grand-mère et l'avala. Il mit ensuite sa chemise, s'enfouit la tête sous son bonnet de dentelle et se coucha dans son lit, puis tira les rideaux de l'alcôve.

Le Petit Chaperon rouge avait couru de fleur en fleur, mais à présent son bouquet était si gros que c'était tout juste si elle pouvait le porter. Alors elle se souvint de sa grand-mère et se remit bien vite en chemin pour arriver chez elle.

La porte était ouverte et cela l'étonna. Mais quand elle fut dans la chambre, tout lui parut de plus en plus bizarre et elle se dit: "Mon Dieu, comme tout est étrange aujourd'hui! D'habitude, je suis si heureuse quand je suis chez grand-mère!"

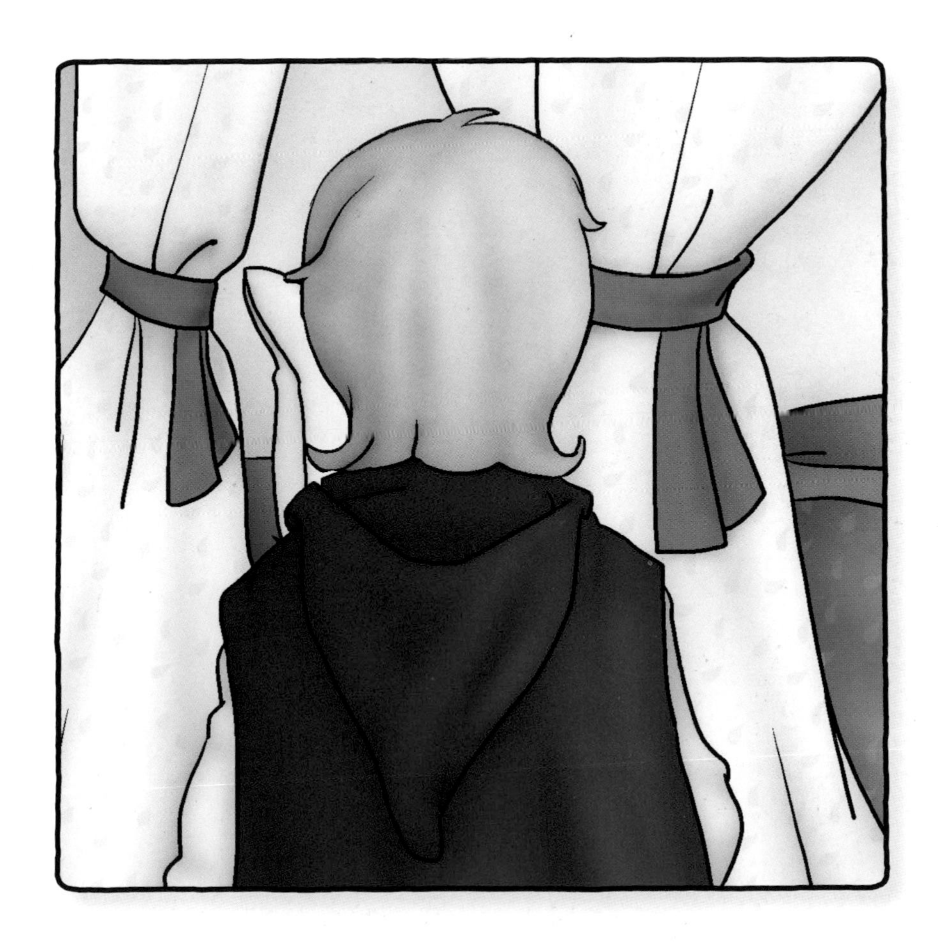

Elle salua pourtant :
– Bonjour, grand-mère !
Mais comme personne ne répondait, elle s'avança jusqu'au lit et écarta les rideaux. La grand-mère y était couchée, avec son bonnet qui lui cachait presque toute la figure, mais elle avait l'air si étrange !

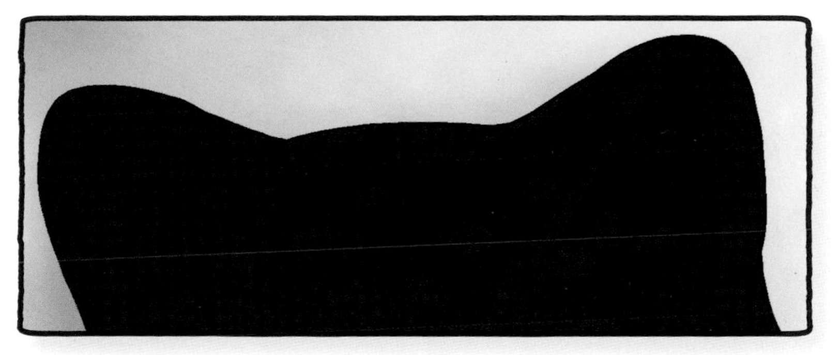

–Comme tu as de grandes oreilles, grand-mère !
–C'est pour mieux t'entendre, répondit-elle.

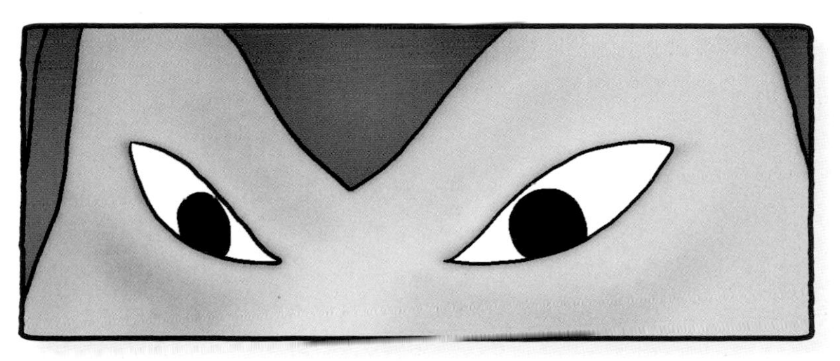

–Comme tu as de gros yeux, grand-mère !
–C'est pour mieux te voir, répondit-elle.

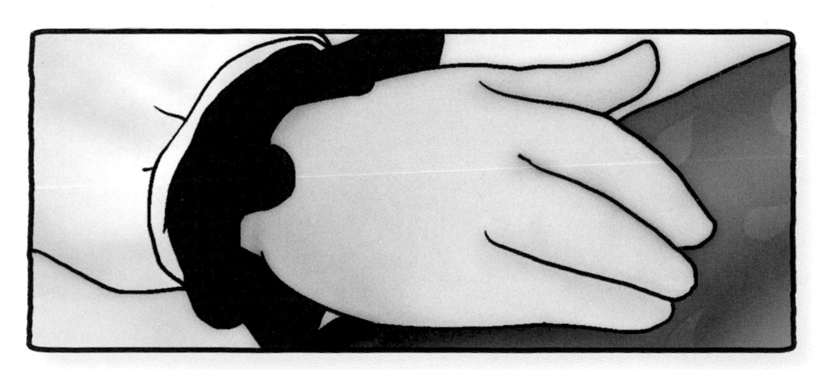

–Comme tu as de grandes mains !
–C'est pour mieux te prendre, répondit-elle.

–Oh ! grand-mère, quelle grande bouche
et quelles terribles dents tu as !

–C'est pour mieux te manger, dit le loup, qui fit un bond hors du lit et avala le pauvre Petit Chaperon rouge d'un seul coup. Sa voracité satisfaite, le loup retourna se coucher dans le lit et s'endormit bientôt, ronflant de plus en plus fort.

Un chasseur, qui passait devant la maison, l'entendit et pensa :
"Qu'a donc la vieille femme à ronfler si fort? Il faut que tu entres et que tu voies si elle a quelque chose qui ne va pas."
Il entra donc et, s'approchant du lit, vit le loup qui dormait là.
–C'est ici que je te trouve, vieille canaille! dit le chasseur.
Il y a un moment que je te cherche...

Et il allait épauler son fusil, quand, tout à coup, l'idée lui vint que le loup avait peut-être mangé la grand-mère et qu'il pouvait être encore temps de la sauver. Il posa son fusil, prit des ciseaux et se mit à tailler le ventre du loup endormi.

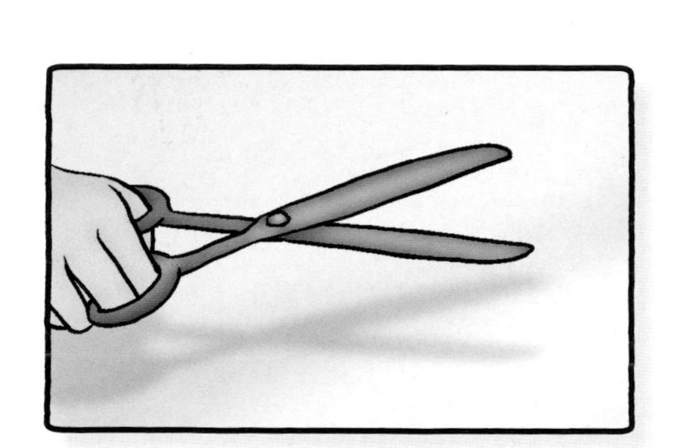

Au deuxième ou au troisième coup de ciseaux, il vit le rouge chaperon qui luisait. Deux ou trois coups de ciseaux encore, et la fillette sortait du loup en s'écriant :
– Ah ! Comme j'ai eu peur ! Comme il faisait noir dans le ventre du loup !

Et bientôt après sortait aussi la vieille grand-mère, mais c'était à peine si elle pouvait encore respirer.

Le Petit Chaperon rouge se hâta d'aller chercher de grosses pierres que le chasseur fourra dans le ventre du loup. Quand celui-ci se réveilla, il voulut bondir, mais les pierres pesaient si lourd qu'il s'affala et resta mort sur le coup.

Tous les trois étaient bien contents : le chasseur prit la peau du loup et rentra chez lui.
La grand-mère mangea la galette que le Petit Chaperon rouge lui avait apportée, se retrouvant bientôt à son aise.
Mais pour ce qui est du Petit Chaperon, elle se jura : "Jamais plus de ta vie tu ne quitteras le chemin pour courir dans les bois, quand ta mère te l'a défendu." »

Texte : Conte traditionnel
Consultant : Martin Pigeon, psychanalyste
Illustrations : Pierre Brignaud
Coloration : Marcel Depratto
Direction artistique : Monique Dupras

Nous reconnaissons l'aide financière du gouvernement du Canada par l'entremise du Fonds du livre du Canada pour nos activités d'édition.

Patrimoine canadien Canadian Heritage

Nous remercions le ministère de la Culture et des Communications du Québec et la SODEC de l'aide apportée à la publication et à la promotion de cet ouvrage.

SODEC Québec

Catalogage avant publication de Bibliothèque et Archives nationales du Québec et Bibliothèque et Archives Canada

Brignaud, Pierre
Caillou : le Petit Chaperon rouge
(Conte de fées)
Pour enfants de 3 ans et plus.

ISBN 978-2-89450-755-1

I. Titre. II. Titre: Petit Chaperon rouge.

PS8589.I64C342 2011 jC843'.6 C2011-940225-4
PS9589.I64C342 2011

Imprimé à Guangdong, Chine
10 9 8 7 6 5 4 3 2 1 CHO1775 AVR2011